D0717496

BOUCQ/JODOROWSKY
BOUNCER

DEEL 1 - EEN DIAMANT VOOR HET HIERNAMAALS

Oog & Blik

Een Diamant voor het Hiernamaals van Alexandro Jodorowsky en François Boucq,
ingekleurd door Ben Dimagmaliw en Nicolas Fructus, werd in opdracht
van uitgeverij Oog & Blik, Nieuwe Hemweg 7e-f te Amsterdam,
gedrukt en gebonden door Norma te Barcelona.

De vertaling is van Mat Schifferstein. De grafisch verzorging van Yuri Landman.

De oorspronkelijke titel luidt *Un Diamant pour l'Au-delà*

Copyright © 2002 Les Humanoïdes Associés, Genève
Nederlandse uitgave copyright © 2002 Oog & Blik, Amsterdam

Bezoek onze websites: www.humano.com en www.oogenblik.nl

ISBN 90 5492 0039 4

GNNN...

HOU OP! GENADE! IK KAN NIET MEER!

GOEIE GENADE! WAT EEN LAFAARD!

VUILE VERRADER! MAAK 'M AF!

"WE GOOIEN ZE IN EEN NIKKERGRAF. HOERA! HOERA"!

KAPITEIN RALTON! KAPITEIN RALTON! ZE HEBBEN DE DESERTEUR!

SCHOFT! WAT EEN SCHANDE!

DE VOGEL IS GEVANGEN, ZE HEBBEN HEM GEKORTWIEKT.

ZIJN VLEUGELPAAR WAS HET ENIGE DAT ZE D'R AF KONDEN SNIJDEN. EEN VENT WAS HET NIET, DUS VOOR DE REST HAD-IE NIKS...

3

IN OORLOGSTIJD MOET ZO'N DESERTEUR TOT VOORBEELD GESTELD WORDEN!

STELLETJE IDIOTEN, DE OORLOG IS AFGELOPEN!!

ATLANTA IS INGENOMEN. SHERIDAN HEEFT ONS LEGER VERSLAGEN! WANNEER SNAPPEN JULLIE NOU DAT HET ZUIDEN ZICH HEEFT OVERGEGEVEN?

HOU JE KOP, RAT. DEGENEN DIE NIET MEER WILLEN VECHTEN, ZIJN HET ZUIDEN NIET. HET ZUIDEN, DAT BEN IK, DAT ZIJN WIJ, WIJ GEVEN ONS NOOIT OVER!

DAT IS WAANZIN! ER IS GEEN CONFEDERATIE MEER! IK BEN VRIJ MAN! IK WIL NAAR HUIS, NAAR MIJN VROUW EN MIJN TWEE KINDEREN!....

OP DESERTIE STAAT DE DOODSTRAF! MAAR ONDER MIJN MANNEN BEVINDT ZICH GEEN LAFAARD. BEZOEDEL ONZE EER NIET, IK WIL DAT JE SNEUVELT IN DE STRIJD! MAAK ZIJN HANDEN LOS!

DAN KAN HIJ ZICH MET ME METEN ALS EEN DAPPER SOLDAAT!

4

7

KAPITEIN RALTON!

ONZE VOORRADEN RAKEN UITGEPUT. OVER EEN DAG IS ALLES OP.

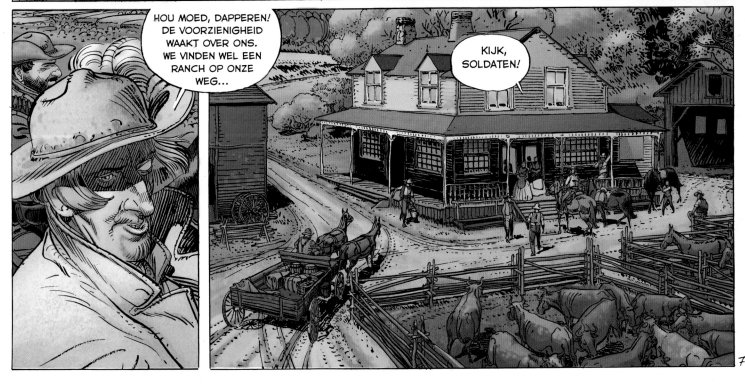

HOU MOED, DAPPEREN! DE VOORZIENIGHEID WAAKT OVER ONS. WE VINDEN WEL EEN RANCH OP ONZE WEG...

KIJK, SOLDATEN!

7

HET ZIJN ZUIDELIJKEN. WAT WILLEN DIE VAN ONS?...

KAPITEIN RALTON VAN DORMAN.

OM U TE DIENEN...

MIJN DAPPERE DETACHEMENT EN IK ZIJN OP HET MOMENT VERSTOKEN VAN LEEFTOCHT...

HET SPIJT ME, KAPITEIN, MAAR WIJ ZIJN NIET IN STAAT ZO'N GROTE TROEP SOLDATEN VAN ETEN TE VOORZIEN! WE GEVEN U EEN KOE, WATER EN VIJF ZAKKEN MAIS, MAAR MEER HEBBEN WE NIET!...

MEVROUW, WIJ KOMEN NIET OM TE BEDELEN. WE EISEN ONS DEEL. WIJ HEBBEN ALLES VERLOREN, ONZE SLAVEN, ONS LAND, HUIS EN HAARD, VRIJHEID, RECHTVAARDIGHEID...

... EN U WILT AL UW ELLENDIGE RIJKDOM BEHOUDEN?!

HAAL ALLE ETEN EN DRINKEN EN ALLE GELD, ANDERS LATEN WE DE ZANGERES MET DE ACHT KELEN EEN ANDER LIEDJE ZINGEN!

8

DESNOODS VALLEN WE MET DE BAJONET AAN, KAPITEIN.

MET DE BAJONET? JE BENT NIET LEKKER! BINNENKORT HEBBEN WE DUIZENDEN BLAUWJASSEN ACHTER ONS AAN.

VOOR ONS IS DE OORLOG NIET AFGELOPEN...

ZOALS EEN REGENWORM ZICH SAMENTREKT OM VOORUIT TE KUNNEN KOMEN, ZO MOETEN WIJ NU UITEENGAAN...

JA, ZO ZIT HET! ALS WE BLIJVEN PLUNDEREN, ZULLEN WE ALS ORDINAIRE STRAATROVERS EINDIGEN: AAN DE STROP!

WE MOETEN SLIM ZIJN, ONS UNIFORM AFLEGGEN, DE NATUUR IN TREKKEN, MISSCHIEN WEL DOEN OF WE ZELFS NIGGER LOVERS ZIJN...

ALS DE TIJD DAAR IS, ZULLEN WE ELKAAR WEERZIEN...

BODY, CHESTY, FULL, RON, ROW, EMIL, MET MIJ MEE! LEVE DE CONFEDERATIE!

13

14

WAAR BLIJFT SETH NOU? HIJ WEET HEEL GOED DAT WE OP ZONDAG NIET WERKEN!

BLAKE! SETH IS AL 15 EN ZIJN JAGERSINSTINCT WORDT WAKKER. EN OMDAT JIJ HEM VERBIEDT VUURWA-PENS TE GEBRUIKEN, PROBEERT HIJ HAZEN MET DE HAND TE VANGEN!

JAMMER, DAN BEGINNEN WE ZONDER HEM!...

"VANDAAG SCHITTEREN DE STERREN, LATEN WE TE PAARD, ZONDER SPOREN, ZONDER BIT OF ZADEL, DE WIND BESTIJGEN, NAAR DE BETOVERENDE HEMEL."

HÉ GROOM, WAAR GA JE HEEN?

16

DANK U, HEER, VOOR HET GULLE GRAAN DAT OP DEZE DORRE AARDE GROEIEN WIL... DANK, HEER, VOOR DIT ZOUT, SYMBOOL VOOR DE REINHEID VAN ZIEL...

DANK, HEER, VOOR DIT BESCHEIDEN VOEDSEL DAT EMIHIYAH HEEFT OMGETOVERD TOT EEN LEK-KERNIJ.

SETH IS ER NOG STEEDS NIET! WAT SPOOKT HIJ TOCH UIT? IK BEGIN ME ERG ONGERUST TE MAKEN...

IK ZAL DE KLOK LUIDEN... MAAR HET KAN NOG EVEN DUREN VOORDAT HIJ DAN TERUG IS.

... GOD HEEFT HET GEDULD GEHAD ONS TE SCHEPPEN, OOK IK ZAL GEDULD BETRACHTEN. WE ETEN NIET VOORDAT SETH AAN TAFEL ZIT, GEKAMD EN GEWASSEN...

16

HAAST JE, SETH, JE VADER IS WOEDEND!

JE LATE KOMST IS EEN BELEDIGING VAN DE HEER! KLOP JE KLEREN AF, KOM AAN TAFEL ZITTEN EN VRAAG VERGEVING!

IK BEN GEEN KIND MEER! EN JE GEBEDEN ZIJN LEUGENS! HIER HEB IK HET BEWIJS! PAPA, WAT IS DIT?! OP DEZE REVOLVERS STAAT JOUW NAAM!...

JE HEBT HET GEWAAGD DE VERBODEN CANYON TE BETREDEN! WAAROM HEB JE DAT GEDAAN, MIJN ZOON? JE HEBT DE DOOS VAN PANDORA GEOPEND! NU ZULLEN DE DEMONEN UIT HET VERLEDEN OPDUIKEN!

DIE REVOLVERS ZIJN VERVLOEKT... ZE TONEN ME WEER DE SCHOFT DIE IK WAS. MOGE DE HEER ONS BESCHERMEN!

HA! HA! HA! EINDELIJK, WE ZIJN ER!

17

19

BLAKE, KIJK, ER KOMEN ZEVEN RUITERS AAN!... MIJN HART ZEGT DAT HET SLECHTE MENSEN ZIJN!

JE HART BEDRIEGT JE NOOIT, EMIHIYAH. HET IS RALTON!

DE VLOEK HEEFT DE DEMONEN ONTKETEND.

WE HEBBEN GEEN SECONDE TE VERLIEZEN!...

JIJ EN JE MOEDER MOETEN HIER WEG. VERBERG JE! EN WAT ER OOK GEBEURT, ZORG VOOR HAAR!

IK BLIJF, PAPA! IK BEN GEEN LAFAARD, IK KAN VECHTEN!

NEE, MIJN ZOON, DOE WAT JE VADER ZEGT. GOD HEEFT ONS SAMENGEBRACHT, IN VOOR- EN TEGENSPOED.

GENOEG! NAAR BENEDEN! WAT KUN JE MET JE VUISTEN BEGINNEN TEGEN ZEVEN REVOLVERS?

STEL ME NIET TELEUR! IK HEB JE GOED OPGEVOED... HIER, PAK AAN!

ALS ONS IETS OVERKOMT, GA DAN NAAR BARRO-CITY EN VRAAG NAAR DE "BOUNCER" VAN DE "INFERNO SALOON"...

SNEL! DE KACHEL VERPLAATSEN! IK MOET HET LUIK VERBERGEN!

HÉ... DIE SMEERLAPPEN ZIJN BEZIG EEN KERK TE BOUWEN!

SINDS WANNEER VERKOOPT DE DUIVEL CRUCIFIXEN?!

18

HEERLIJK OM WEER EENS OP BE- KEND TERREIN TE ZIJN!

....DE STANK VAN EEN VRAATZUCHTIGE JAKHALS!

IK WIST DAT JE OOIT TERUG ZOU KOMEN, RALTON. MAAR IK HAD GEHOOPT DAT JE ME VERGETEN WAS, NA ZEVENTIEN JAAR!

HOE DAN? DOOR ALLE SPIEGELS KAPOT TE SLAAN? MISSCHIEN BEN JE VERGETEN WAT JE MIJ HEBT AANGEDAAN...

WIL JE JE OPNIEUW MET ME METEN?

KIJK! DE PISTOLERO BESTAAT NIET MEER. IK BEN PRIESTER, NU. IK MAG GEEN WAPENS MEER DRAGEN...

HA! HA! HA! WAT EEN VERRASSING! VAN KILLER TOT KWEZEL! HA! HA! HA! HA! IS HET WAAR? BESTAAN ER NOG WONDEREN? HA! HA! HA!

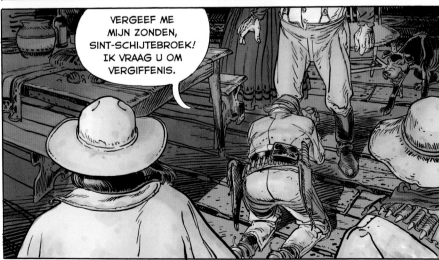

VERGEEF ME MIJN ZONDEN, SINT-SCHIJTEBROEK! IK VRAAG U OM VERGIFFENIS.

NOU, PATERNOSTER! ZEG TEGEN JE DIENSTMEID DAT ZE EEN PAAR FLESSEN WHISKY HAALT. IK HEB EEN DROGE STROT!

19

EMIHIYAH IS MIJN VROUW!

NEE TOCH?!!... BEN JE MET EEN SMERIGE SQUAW GETROUWD?! JE BESMEURT ONS RAS, VUILAK!

KAPITEIN, MAG IK MIJN TROFEEËNVERZAMELING AANVULLEN MET DE SCALP VAN DIE ROOIE ZEUG?

RALTON, HOU JE MANNEN IN BEDWANG. ZIJ HEEFT NIKS TE MAKEN MET ONS VERLEDEN.

GOED, JE WILT DAT STINKDIER HEEL HOUDEN? VERTEL DAN OVER DE DIAMANT. JIJ BENT HIER GEBLEVEN, JE HEBT JAREN DE TIJD GEHAD OM 'M TE VINDEN...

OP MIJN EREWOORD. IK HEB NIKS GEVONDEN.

MOETEN WE 'M EEN HANDJE HELPEN, KAPITEIN?

O NEE! GROOM!

VUILE SMEERLAP!

HÉ! HO! PATERTJE... JE MAG GEEN MENSEN SLAAN DIE KLEINER ZIJN DAN JEZELF!

SMERIGE ROT- ZAKKEN!

HOU OP, LAAT HEM MET RUST! WAT WILLEN JULLIE VAN HEM? HIJ IS EEN MAN VAN GOD!...

BIND 'M GOED VAST, HET IS TIJD VOOR DE BIECHT!...

IK HEB ALLES VERTELD WAT IK WEET. IK HEB NIKS GEVONDEN, WANT IK HEB NIET GEZOCHT.

VERKRACHTEN WE HAAR?... MET Z'N TWEEËN?... Z'N DRIEËN?...

23

"LAAT JE ZIEL ZWIJGEN EN LAAT HAAR IN STILTE TERUGKEREN NAAR HAAR RIVIER VAN OORSPRONG."

NOU, KAPITEIN, MAG IK NU? IK KRIJG KRAMP IN MIJN VINGERS.

DOE MAAR WAT JE WILT. EN LAAT HAAR MAAR EVEN GENIETEN, DIE TEEF!

ALS DE DIAMANT HIER IS, VINDEN WE HEM. OOK ALS WE HET HELE TERREIN EN DE HELE SANTEKRAAM HIER OVERHOOP MOETEN HALEN. HIJ IS GENOEG WAARD OM EEN HEEL LEGER VAN TE ONDERHOUDEN!...

25

WAT WAS DAT VOOR AFSCHUWELIJKE KREET?

"HET GELUID DAT ONS VERSTAND TE BOVEN GAAT IS DE SCHREEUW VAN HET HEELAL."

VAST EEN KROL- SE COYOTE!

JIJ KOMT ER NIET MEER IN! ALS IK JE NOG ÉÉN KEER BETRAP ALS JE AAN DE MEISJES ZIT, SNIJD IK JE BALLEN ERAF.

NIEMAND WIL MYKE HIER. ARME MYKE HEEFT GEEN HALVE DOLLAR MEER VOOR EEN GLAS TORD-BOYAUX. IK MOET WEG.

KIJK UIT, MENEER!...

HOLA!...

OOK JIJ HEBT HET OP DEZE ARME INDIAAN GEMUNT!... WAT DOE JIJ HIER, JOCHIE, OP ZO'N MOOI PAARD?

IK ZOEK DE "INFERNO SALOON".

DE "INFERNO SALOON"... WAT ZOEKT EEN VENTJE ALS JIJ IN ZO'N SMERIGE STAD ALS BARRO-CITY?

25

IK BEN GEEN JOCHIE!... IK ZOEK DE BOUNCER VAN DE "INFERNO SALOON".

DE BOUNCER! HU! HU! HU! JE HEBT GELUK DAT JE MIJ TEGENKOMT, VENTJE! IN BARRO-CITY VIND JE MEER BARS DAN JE KUNT TELLEN. JE HAD UREN KUNNEN ZOEKEN.

HIER VIND JE ALLE UITSCHOT, ALLE GESPUIS VAN VIJFTIG MIJL IN DE OMTREK!

IN BARRO-CITY IS DE LEVENSVERWACHTING VAN EEN SHERIFF MINDER DAN EEN MAAND.

HET HOOGSTE SHERIFF-STERFTE-CIJFER VAN HET HELE WESTEN! HI! HI! HI!

28

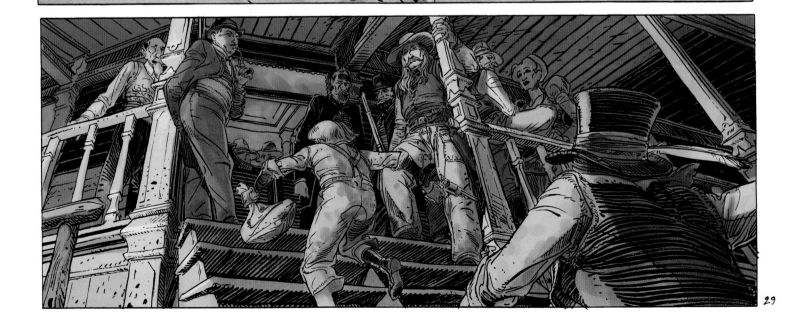

29

31

ZEG,
JIJ HEBT DAAR
WAPENS VAN EEN
BEROEPSKILLER!
MOOI HOOR!

ZE ZIJN VAN MIJ,
DIE INDIAAN WOU ZE
VAN ME STELEN!

DAT SNAP IK WEL,
DAT-IE DIE
WOU PIKKEN.

ZULKE WAPENS
WIL IK OOK
WEL!

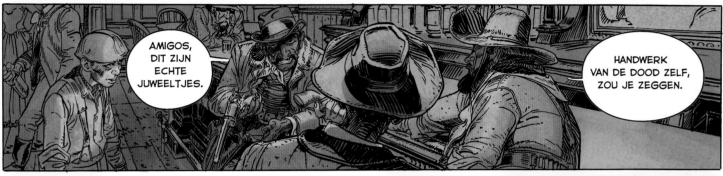

AMIGOS,
DIT ZIJN
ECHTE
JUWEELTJES.

HANDWERK
VAN DE DOOD ZELF,
ZOU JE ZEGGEN.

EVEN LADEN,
COMPAÑEROS! ÉÉN, TWEE,
DRIE, VIER, VIJF, ZES,
ZEVEN, PUTA MADRE!

HÉ, HO! DEZE ZIJN
NIET VOOR EEN CHICANO!
EENTJE VOOR MIJ,
EENTJE VOOR
M'N NEEF!...

DAT SLA IK
NIET AF,
DEREK!

ER ZIJN ER
MAAR TWEE. EERST
FAMILIE, DAN
VRIENDEN.

HÉ...

31

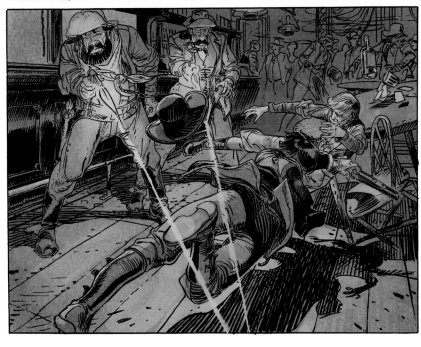

HIER,
KNUL, DIT IS
VAN JOU.

DAT ZIJN
DE REVOLVERS VAN
BLAKE!

KENDE
U MIJN VADER?
HIJ IS DOOD!

BLAKE DOOD!
IK KENDE JE
VADER, JONGEN.
HIJ WAS MIJN
BROER.

DAT...

HIER... ZORG VOOR HEM.
HIJ IS ERG MOE, DENK IK.
GEEF 'M EEN BED.

... VERTEL ME
MORGEN JE VERHAAL.
HOE HEET JE?

SETH,
MENEER.

34

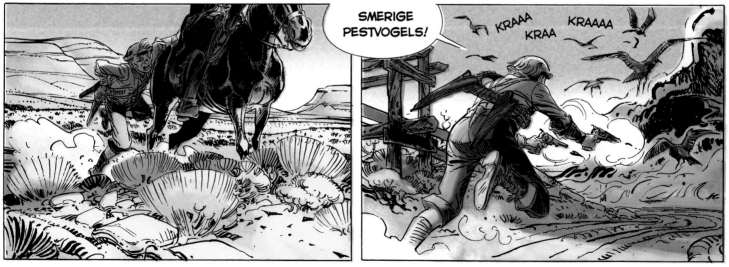

MIJN OUDERS KOMEN NIET IN DE STINKDARMEN VAN DE GIEREN!

"GEZEGEND ZIJ JEHOVAH, MIJN ROTS, DIE MIJN HANDEN GEREEDMAAKT VOOR DE STRIJD EN MIJN VINGERS VOOR DE OORLOG." AMEN.

IK ZAL NIET RUSTEN VOORDAT IK WRAAK GENOMEN HEB...

... VOOR MIJN VADER, MIJN MOEDER EN MIJN HOND!

IK ZAL JE HELPEN, SETH, MAAR ÉÉN DING MOET JE WETEN: DE MOORDENAAR IS OOK JE OOM! BLAKE, RALTON EN IK WAREN BROERS.

DAN ZUL JE ME HEM NOOIT LATEN DODEN...

JE VERGIST JE, KNUL. IK HEB OOK NOG WAT MET 'M TE VEREFFENEN: MIJN ARM.

IK ZAL JE BETER MET EEN REVOLVER OF SABEL LEREN OMGAAN DAN HIJ. JIJ WORDT MIJN RECHTERHAND!

KIJK, DIE SCHURK ZOEKT NOG STEEDS HET "OOG VAN CAIN". DIE DIAMANT IS ER SCHULD AAN DAT IK EEN ARM KWIJT BEN, RALTON EEN OOG EN JE VADER ZIJN HOOFD! NEEM EEN BAK KOFFIE. HET IS EEN LANG VERHAAL, DEZE FAMILIEGESCHIEDENIS...

IK HOEF GEEN KOFFIE, DE HAAT HOUDT ME WAKKER!

KIJK ES GOED NAAR DEZE FOTO, SETH. DAT IS JE OMA. ZE NOEMDEN HAAR "AUNTY LOLA", ZE WAS ÉÉN VAN DE WILDSTE HOEREN VAN HET WESTEN.

ACHT JAAR WAS ZE, TOEN APACHES HAAR OUDERS VERMOORDDEN EN HAAR VERKRACHTTEN EN VOOR DOOD ACHTERLIETEN.

EEN TRAPPER VOND HAAR, HALFDOOD, EN VERKOCHT HAAR VOOR ZES FLESSEN WHISKY AAN DE OUWE O'HOOGAN, EEN IERSE HARPIJ, EIGENARES VAN EEN LOUCHE CABARET...

... DIE HET MEISJE, ZODRA HET HERSTELD WAS, BEGON UIT TE BUITEN. OP HAAR ELFDE WERD ZE ZWANGER...

EN BEVIEL VAN BLAKE, ONZE OUDSTE BROER. WIE DE VADER WAS? ĒĒN VAN DE DERTIG KLANTEN DIE ZE OP DIE DAG HAD GEHAD!

GOED ZO, MEISJE, DAT WAS FLINK. JE HEBT GOED GEPERST. WAT 'N DIKKOP, ZEG.

OP HAAR DERTIENDE, TOEN ZE WEER ZWANGER WAS (NU VAN RALTON), BESLOOT MIJN MOEDER VOOR ZICHZELF TE GAAN WERKEN.

ZE VERLEIDDE MISTER WILLIAM, EEN RIJK BANKIER, EN SCHAFTE EEN HUIFKAR AAN.

ZE OEFENDE HAAR BEROEP UIT IN DE GOUDMIJNEN. "ALS JIJ NIET NAAR DE HOEREN GAAT, KOMEN DE HOEREN NAAR JOU", WAS HAAR LIJFSPREUK.

DE MIJNWERKERS WAREN LAAIEND ENTHOUSIAST. OP ELK UUR VAN DE DAG STONDEN ZE IN DE RIJ VOOR DE KAR.

LOLA HAD HET KARAKTER VAN EEN ROOFDIER. ZE SCHOOT OOK ALS EEN ECHTE KILLER...

... ZE ROOKTE DIKKE SIGAREN EN KON ALCOHOL BETER VERDRAGEN DAN DE MEEST DOORGEWINTERDE ZUIPSCHUITEN.

TOEN ZE OP HAAR VIJFTIENDE WEER ZWANGER WAS (VAN MIJ) LIET ZE ZICH VAN EEN BERG AF ROLLEN OM ME KWIJT TE RAKEN...

MIJN MOEDER KOTSTE INMIDDELS VAN ALLE KERELS EN KOCHT VAN HAAR GESPAARDE GOUDKLOMPJES EEN KLEINE BAR...

41

... DIE NA EEN PAAR MAANDEN UITGROEIDE TOT EEN GROOT CABARET, WAAR WAT STOEIPOEZEN HUN GEBREK AAN DANSTALENT COMPENSEERDEN MET ALLES WAT ZE VERDER IN HUIS HADDEN.

WIJ DRIEËN LEEFDEN OP STRAAT EN BRACHTEN ZE ONZE TIJD DOOR MET VECHTEN. EERST MET ELKAAR...

... DAARNA MET MEXICANEN...

IEREN... ITALIANEN... CHINEZEN, ENZOVOORTS.

LATER VERVINGEN WE DE VUISTEN DOOR MESSEN...

... EN TENSLOTTE REVOLVERS.

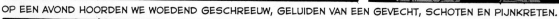

OP EEN AVOND HOORDEN WE WOEDEND GESCHREEUW, GELUIDEN VAN EEN GEVECHT, SCHOTEN EN PIJNKRETEN.

RUSTIG ALLEMAAL EN DOORETEN!

LAAT DIE KLOOTZAKKEN ELKAAR MAAR VERMOORDEN! HOE MINDER VAN DAT TUIG, HOE BETER!

BLIJF HIER, IDIOOT! STRAKS VERMOORDEN ZE JE NOG!

MAAR BLAKE GEHOORZAAMDE NIET. HIJ GING NAAR BUITEN EN WIJ BLEVEN ACHTER, GESPANNEN...

TOEN HIJ TERUGKWAM, HAD HIJ IETS VREEMDS OVER ZICH.

DE DOOD WACHTTE OP ME, BIJ DE LIJKEN. HIJ HEEFT ME DEZE WAPENS GEGEVEN.

EN HIJ ZEI TEGEN ME: "BEWAAR ZE GOED. ZE MISSEN NOOIT HUN DOEL, WANT IK HEB ZE GEMAAKT."

HET IS WAAR... DEZE REVOLVERS VOELEN ERG KOUD... DE KOU VAN DE DOOD...

MISSCHIEN... BLAKE HAD EEN RIJKE VERBEELDING. VANAF DAT MOMENT WERD JE VADER DE BESTE SCHUTTER VAN DE STREEK. IN HET CABARET VAN LOLA DURFDE NIEMAND KEET TE SCHOPPEN...

ALLES GING GOED TOT DE KOMST VAN MARIE GILBERT, EEN ACTRICE VAN LEGENDARISCHE SCHOONHEID.

DE GOUDZOEKERS KEKEN GEFASCINEERD TOE HOE ZE ZICH LANGZAAM UITKLEEDDE ONDER HET DECLAMEREN VAN SHAKESPEARE.

"WAT KOMEN GAAT IS WELLICHT VOL SMART UITGESTELD GENOT BEVREDIGT NOOIT HET HART..."

"NU BEN JE KLAAR, GEEF ME EEN SNEL EEN KUS WANT JEUGD IS KWETSBAAR, NIET EEUWIG DUS."

CHARLES GOODNIGHT, EIGENAAR VAN MIJNEN EN ENORME VEESTAPELS, EEN VAN DE RIJKSTE MANNEN VAN HET WESTEN, WERD STAPELVERLIEFD OP HAAR. HIJ BRACHT HAAR EEN RING MET EEN GROTE ROBIJN EN BEZOCHT HAAR IN HAAR KLEEDKAMER MET DE VRAAG OF ZE TERSTOND MET HEM WILDE TROUWEN.

JE BOFT, SCHOONHEID.

DAT IK DE VROUW MAG WORDEN VAN EEN BOERENPUMMEL ALS JIJ?

MET ANDERE WOORDEN: EEN KOE ERBIJ IN JE STINKENDE KUDDE? JE ZAL ECHT MET WAT BETERS MOETEN KOMEN DAN ZO'N STEENTJE VAN NIKS! IK BEN DE JOUWE ALS JE MIJ HET "OOG VAN CAIN" BRENGT, DIE MAGNIFIEKE DIAMANT UIT INDIA, DIE NU IN NEW YORK TE KOOP IS.

HET NIEUWS BESLOEG ZES KOLOMMEN IN DE LOKALE KRANT. MIJN MOEDER, JALOERS OP DE ACTRICE EN GEDREVEN DOOR HEBZUCHT, BESLOOT DE DIAMANT TE STELEN MET HULP VAN HAAR DRIE ZOONS.

WAT HEEFT DIE SLET WAT IK NIET HEB? MIJN KONT EN TIETEN ZIJN MINSTENS EVEN MOOI!

EEN MAAND LATER LAGEN WE VOOR EEN BRUG, DIE EEN DROGE RIVIERBEDDING OVERSPANDE, TE WACHTEN OP DE TREIN.

OMDAT ER OP DIE HELLING GEEN ROTSBLOKKEN LAGEN, HAD LOLA HET IDEE GEHAD EEN KOE TE DODEN OM ONS ERACHTER TE VERBERGEN.

ZE VRETEN MIJN HELE GEZICHT OP!

SMERIGE BEESTEN! WAAROM HEBBEN ZE NIET GENOEG AAN DIE KOE?!

NOU ÈN, SLAPJANUS, WAT DAN NOG?!

HET ROTTENDE VLEES HAD EEN ZWERM PAARDENVLIEGEN AANGETROKKEN. WE STONDEN OP HET PUNT AF TE HAKEN, TOEN...

DAT WAS DAT, LOLA! DIE ACHTERLIJKE IDEEËN VAN JE! WE KUNNEN NOG DAGEN WACHTEN VOOR DIE TREIN KOMT!

LAAT NOOIT JE PROOI ONTSNAP-PEN, JONGENS! DE DUIVEL IS MET ONS, DAAR IS-T-IE!!

SHIT, EEN GEBLINDEERDE WAGON!...

... EN EEN HEEL LEGER! SHIT AGAIN!

ZO'N HONDERD SOLDATEN... GEEN KOGELS VERSPILLEN, JONGENS. SCHIET ZE RECHT TUSSEN DE OGEN!

LOLA, WIL JE ZE ECHT ALLEMAAL DODEN? HET ZIJN TOCH OOK MENSEN!

NOU EN? JE MAAKT GEEN OMELET ZONDER EIEREN TE BREKEN. HOU JE KLAAR, JONGENS! VRETEN VOOR DE GIEREN!

IK HAD AL EERDER, IN EEN DUEL, MANNEN GEDOOD OM MIJN LEVEN TE VERDEDIGEN. MAAR NOOIT OM TE STELEN. MAAR DE WIL VAN MIJN MOEDER WAS STERKER DAN DE MIJNE.

BLAKE WAS BEZETEN DOOR ZIJN REVOLVERS. HIJ EN DE DOOD WAREN NU ÉÉN....

MAAR OOK WIJ WAREN BEZETEN. TIEN TEGEN ÉÉN WAS HET GEWEEST. ZIJ WAREN ALLEMAAL DOOD EN WIJ WAREN ONGEDEERD GEBLEVEN.

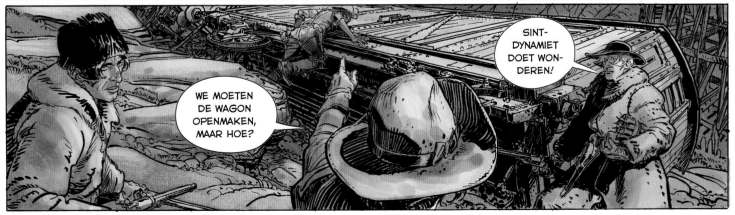

ER LEEFT ER NOG EENTJE, BINNEN.

SCHIET OP, RAT, MAAK DIE KLUIS OPEN VOOR ONS!

IK MAG DE MAATSCHAPPIJ NIET VERRADEN!

... OOK NIET ONDER FOLTERING! MAAR JULLIE KUNNEN DE DIAMANT SOWIESO NOOIT VERKOPEN: HET NIEUWS DAT HIJ GESTOLEN IS, RAAKT OVER DE HELE WERELD BEKEND.

WIE HEEFT HET OVER FOLTEREN? IK MAAK JE AF. JE HEBT DRIE SECONDEN. ÉÉN... TWEE...

NEE! GENOEG GEMOORD!

IK WEET HOE IK EEN KLUIS OPENKRIJG! DIT IS WAANZIN!

... DRIE! KREPEER, IMBECIEL! WE HEBBEN JE NIET MEER NODIG!

MET MIJN BESCHEIDEN KENNIS VAN SLOTEN KONDEN WE DE KLUIS OPENMAKEN ZONDER HAAR OP TE BLAZEN.

IN HET DUISTER FONKELDE DE DIAMANT DOOR EEN INNERLIJK LICHT. DE LEGENDE WERD BEWAARHEID: HIJ DEED HET BLOED IN GROTE STROMEN VLOEIEN.

OM AAN EVENTUELE ACHTERVOLGERS TE ONTKOMEN, DOKEN WE ONDER OP EEN PLEK DIE WIJ ALLEEN KENDEN.

NA EEN VERBLIJF VAN EEN MAAND DIEP IN EEN CANYON BEGONNEN WE DOOR TE DRAAIEN.

WANNEER GAAN WE HIER EINDELIJK EENS WEG!...

HE! BLAKE! WE ETEN RATEL- WEER SLANG!

IK WORD GEK VAN DEZE KLOTE-CANYON!...

LOLA, IK HEB ER GENOEG VAN. IK WIL NIET LANGER IN DIT STINKHOL ZITTEN.

NIEMAND GAAT HIER WEG VOORDAT IK HET ZEG! ZE MOETEN ONS EERST VERGETEN.

MAAR DAT KAN NOG JAREN DUREN!

RELAX... WE ZIJN RIJK! DAT IS DE MOEITE WAARD!

... OM HIER LANGZAAM WEG TE ROTTEN? WAT MOETEN WE MET DIE KUTSTEEN?

JE KUNT HEM NIET EENS VERKOPEN! DIE ACHTERLIJKE IDEEËN VAN JOU!

DIE "ACHTERLIJKE IDEEËN" HEBBEN JOU TOT NU TOE IN LEVEN GEHOUDEN, OF NIET SOMS?

WE SPLIJTEN DIE STEEN, IK NEEM MIJN DEEL EN IK BEN PLEITE!

DE DIAMANT SPLIJTEN? NOOIT! OVER MIJN LIJK! IDIOTEN, JUIST OMDAT HIJ ZO GROOT IS, IS HIJ ZOVEEL WAARD!...

NOU GOED! DAN NEEM IK HEM WEL HELEMAAL MEE, OUWE GEK!

ÉÉN ENKEL GEBAAR EN IK KNAL JE KOP ERAF!

HOE WAAG JE HET EEN WAPEN OP JE MOEDER TE RICHTEN? JE EIGEN MOEDER, ROTZAK!

IK HEB GEEN MOEDER MEER, JE BENT EEN GEOBSEDEERDE GEK! DE DIAMANT!... NU!

ZO IS HET GENOEG!

SNAPPEN JULLIE HET DAN NIET? DIE STEEN IS VERVLOEKT! HIJ DRAAGT DE DOOD MET ZICH MEE. VOEL JE DAT NIET?

NEE!...

HOU OP, ROTZAKKEN! JULLIE ZIJN BROERS! JE GEDRAAGT JE ALS EEN STELLETJE LIJKENPIKKERS!!!

WE HEBBEN EEN VUURTJE GEMAAKT, ZO ONOPVALLEND MOGELIJK, OM ONZE WONDEN TE VERZORGEN.

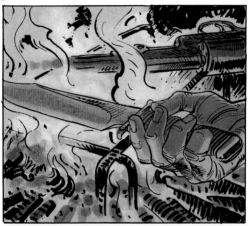

BIJ GEBREK AAN INSTRUMENTEN HEBBEN WE EEN REVOLVER VAN BLAKE VERHIT EN DAARMEE ONZE WONDEN DICHTGESCHROEID.

LANGE TIJD ZATEN WE DAAR ZONDER EEN STOM WOORD TE SPREKEN.

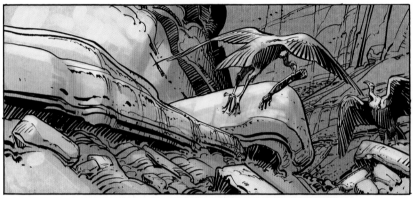

IK ZEI TOCH DAT ZE GEK WAS!... MAAR WAAR HEEFT ZE DIE DIAMANT VERSTOPT?

HET VERDRIET WERD ONMIDDELLIJK OVERSCHADUWD DOOR DE HEBZUCHT VAN MIJN BROERS, DIE KOORTSACHTIG DE HELE HUT OVERHOOP HAALDEN OM HET "OOG VAN CAIN" TE VINDEN.

DE DIAMANT IS WEG! WAAR HÉEFT ZE DIE TOCH VERSTOPT?!

WE HEBBEN OVERAL GEZOCHT, BEHALVE...

EN ALS ZE 'M NOU EENS...

IK WEET ZEKER DAT ZE HEM HEEFT DOORGE-SLIKT.

JE GAAT TOCH NIET...?!

NEE, HET IS ONZE MOEDER!

WAAROM NIET? ZE VOELT ER NIKS MEER VAN!

OOK HIER NIET! ONGELOFELIJK! TOVENARIJ!

JIJ BENT EEN GEVAARLIJKE GEK, RALTON. JE HEBT HET LICHAAM VAN ONZE MOEDER ONTEERD. JE HEBT HAAR DARMEN OPENGESNEDEN...

UIT MIJN OGEN, SMEERLAP!

IK HOOP VOOR JOU DAT JE ME NOOIT MEER ONDER OGEN KOMT!

HYPOCRIET! JE WILT HET "OOG VAN CAIN" VOOR JOU ALLEEN, DAT IS ALLES!

IK HAD NIKS MEER MET MIJN BROERS. MET HET VERLIES VAN MIJN MOEDER, VAN MIJN ARM, WAS IK OOK MIJN FAMILIE KWIJTGERAAKT. MIJN NAAM MOCHTEN ZE HOUDEN. NU BEN IK DE BOUNCER!...

IK KOM TERUG, BLAKE, EN DAN KOM IK HEM HALEN. WEES VERVLOEKT!...

VAARWEL, BLAKE! HOU DE DIAMANT, HOU MOEDER, HOU ALLES! IK KOTS VAN JULLIE! PROBEER ME NIET TERUG TE VINDEN!...

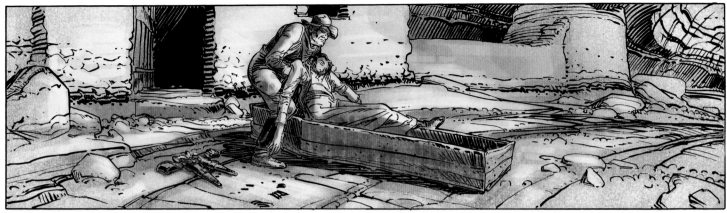

IK HEB HUN NOOIT MEER GEZIEN. IK HOORDE DAT DIE ARME BLAKE GOD GEVONDEN HAD. MAAR IK WAS HEM KWIJTGERAAKT!...

EN NU?...

MIJN BROER IS TERUGGEKEERD OM HET "OOG VAN CAIN" TE HALEN. HIJ HEEFT OVERAL GEZOCHT, ALLES VERBRAND... HIJ ZAL HET ER NIET BIJ LATEN!

HET REGENT NU. BINNENKORT GAAT HET SNEEUWEN... IN DE LENTE ZIEN WE RALTON WEER.

LEER ME SCHIETEN MET DE REVOLVERS VAN MIJN VADER!...

JE HEBT MAAR EEN PAAR MAANDEN. RALTON IS EEN BEROEPSMOOR-DENAAR. IK WEET NIET OF...

IK WEET HET! IK ZAL HET LEREN EN IK ZAL HEM DODEN!...

EINDE VAN DIT DEEL.